Antes tarde do que mais tarde

PEQUENO MANUAL
ANTIPROCRASTINAÇÃO

Editora Appris Ltda.
1.ª Edição - Copyright© 2024 da autora
Direitos de Edição Reservados à Editora Appris Ltda.

Nenhuma parte desta obra poderá ser utilizada indevidamente, sem estar de acordo com a Lei nº 9.610/98. Se incorreções forem encontradas, serão de exclusiva responsabilidade de seus organizadores. Foi realizado o Depósito Legal na Fundação Biblioteca Nacional, de acordo com as Leis nºs 10.994, de 14/12/2004, e 12.192, de 14/01/2010.

Catalogação na Fonte
Elaborado por: Dayanne Leal Souza
Bibliotecária CRB 9/2162

N737a
2024
	Niz, Letícia Ruthes
	    Antes tarde do que mais tarde: pequeno manual antiprocrastinação / Letícia Ruthes Niz. – 1. ed. – Curitiba: Appris, 2024.
	    111 p. : il. ; 18 cm.
	
	    Inclui referências.
	    ISBN 978-65-250-6465-9
	
	    1. Procrastinação. 2. Autoajuda. 3. Psicologia. 4. Psiquiatria. I. Niz, Letícia Ruthes. II. Título.
	
	    CDD – 150

Livro de acordo com a normalização técnica da ABNT

Appris
editora

Editora e Livraria Appris Ltda.
Av. Manoel Ribas, 2265 – Mercês
Curitiba/PR – CEP: 80810-002
Tel. (41) 3156 - 4731
www.editoraappris.com.br

Printed in Brazil
Impresso no Brasil

Letícia Ruthes Niz

Antes tarde do que mais tarde

PEQUENO MANUAL
ANTIPROCRASTINAÇÃO

Curitiba, PR

2024

FICHA TÉCNICA

EDITORIAL	Augusto V. de A. Coelho
	Sara C. de Andrade Coelho
COMITÊ EDITORIAL	Marli Caetano
	Andréa Barbosa Gouveia (UFPR)
	Edmeire C. Pereira (UFPR)
	Iraneide da Silva (UFC)
	Jacques de Lima Ferreira (UP)
SUPERVISORA EDITORIAL	Renata C. Lopes
PRODUÇÃO EDITORIAL	Adrielli de Almeida
REVISÃO	Andrea Bassoto Gatto
DIAGRAMAÇÃO	Bruno Ferreira Nascimento
CAPA	Lívia Costa
REVISÃO DE PROVA	Bruna Santos

*Aos meus maiores incentivadores,
Neiva, Epaminondas e Amanda.
Para Flávio, o maior ser antiprocrastinação que eu conheço.*

Prefácio

A Pocrastinação, que é o adiamento das tarefas, tem sido explorada nas mídias, cursos, livros, palestras e como tema central em saúde mental.

A Dr.ª Letícia nos traz com simplicidade, leveza e seriedade reflexões sobre o comportamento desadaptativo do procrastinador, causas e consequências, incluindo os próprios, tornando a leitura agradável e de fácil compreensão para leigos e também especialistas. Apresenta conceitos técnicos, exemplifica e motiva a busca de mudança, sugere autoanálise e fornece sugestões práticas para o seu dia-a-dia.

Tenha certeza que será de grande aprendizado para aqueles que desejam conhecer e mudar tal comportamento.

Trata-se de uma médica muito conceituada pela nossa equipe e pacientes, pois se dedica a dar o seu melhor, com humor, empatia, alta motivação pessoal para a pesquisa e estudo.

Neste pequeno manual anti-procrastinação usa de uma linguagem jovial e atraente ao público jovem, que certamente irá identificar-se com as estratégias de enfrentamento da sua procrastinação. Revela conceitos e sugere ferramentas usuais que podem ser úteis para aqueles que pertencem à Associação dos Procrastinadores.

Boa leitura e bom proveito!

Cleuza Canan
Psicóloga clínica, escritora do guia "Faça certo que dá certo" e proprietária da Clínica Cleuza Canan especializada em dependência química, psiquiatria e psicologia.

O pensamento é o ensaio da ação.
(Sigmund Freud)

Sumário

Prólogo 13

CAPÍTULO 1
Associação dos Procrastinadores 17

CAPÍTULO 2
Procrastinar não é o mesmo que ter preguiça ... 23

CAPÍTULO 3
Antiprocrastinação 27

CAPÍTULO 4
Viciados em procrastinar 33

CAPÍTULO 5
Os caminhos que levam à procrastinação 39

CAPÍTULO 6
Questione-se 59

CAPÍTULO 7
Busque auxílio 65

CAPÍTULO 8
De uma procrastinadora para outra(o):
minhas estratégias.............................. 69

CAPÍTULO 9
O que ensina a literatura 89

CAPÍTULO 10
Autocompaixão................................. 99

Reflexões finais 103

Comunidade 105

Referências 107

Prólogo

Sentada em frente ao computador em que digito estas palavras foi onde eu tive a ideia de criar este livro.

Eu já estava há duas horas abrindo páginas e páginas da internet, buscando informações científicas sobre estratégias para parar de procrastinar, enquanto eu deveria estar escrevendo o meu projeto de mestrado sobre depressão durante a gestação e pós-parto — um de meus assuntos preferidos na psiquiatria.

Eu estava procrastinando, buscando informações sobre como não procrastinar, sob a justificativa de que eu precisava realizar uma postagem informativa para os meus seguidores sobre "estratégias para não procrastinar". Foi quando entendi que esse assunto precisava ser um novo tópico nos meus afazeres. Estudar sobre procrastinação e escrever sobre esse assunto seria uma nova atividade, à qual eu pudesse separar algumas horas da minha semana para me debruçar sobre ela e, assim, não cair na tentação de atravessar meus outros projetos já bem-estabelecidos com ela.

Defini, então, que sábados pela manhã seriam o momento perfeito. Eu acordaria sem despertador, colocaria água para ferver, e enquanto ela esquentava, eu alimentaria meus gatos. Passaria meu café e quando eu sentisse que ele atingiu meus receptores de adenosina,[1] sentaria e escreveria longas páginas do meu livro.

Funcionou. Durante as três semanas que se passaram desde eu ter a ideia de escrever este livro e concluí-lo, todos os sábados assim se desenrolaram.

Costumo dizer que minha cabeça é um chafariz de criatividade. Por isso em vários momentos ao longo dos dias, especialmente quando estou concentrada em alguma tarefa, por qualquer gatilho mental que seja, eu posso ter uma nova ideia. E ela sempre vem acompanhada de algo que eu demorei para entender como manejar: a empolgação.

A nova ideia tem cheiro de alecrim. É fresco, energizante. A empolgação é a canela, esquenta. Os dois juntos fazem-me instantaneamente mudar

---

[1] A cafeína bloqueia a ação desses receptores no Sistema Nervoso Central promovendo o estado de alerta.

a direção da minha atenção e criam uma urgência em resolver o problema para o qual minha cabeça já tinha criado uma solução. Tem que ser imediato. Naquele segundo. Então eu parava o que estava fazendo — e poderia ser qualquer coisa, como dirigir, estudar e até necessidade fisiológica, e me deliciava de minutos a horas pensando e executando o que quer que a minha nova urgência me pedisse.

Lendo assim não é muito difícil de perceber que isso não é nada funcional, certo? Na prática, porém, o processo foi longo e árduo para mim.

Ragner, a psicóloga incrível que me acompanha, tem grande parte de responsabilidade na identificação e no auxílio desse problema. Eu precisava aprender a manejar o fluxo de criatividade, entender a relevância de uma ideia, ponderar os pontos positivos e negativos dela, bem como a empregabilidade na minha rotina.

Ao longo das minhas sessões de psicoterapia, pude perceber como esse comportamento me fazia mudar a direção daquilo que muitas vezes eu tinha convicção de que queria fazer e prolongar o tempo que eu levava para chegar ao meu objetivo.

Aos poucos fui testando estratégias. Hoje sei que, ao identificar esse cheiro fresco de energia e empolgação eu preciso, primeiro, ponderar a relevância da ideia e, uma vez entendido que ela vale a pena, separar um momento só para ela.

Assim, eu não corro o risco de abandonar a tarefa por falta de tempo para realizá-la ou de impactar negativamente a qualidade de outra atividade que já está em andamento.

Por isso que meus sábados de manhã agora tem dona: a escrita.

Ainda tenho um problema: o projeto de mestrado. Eu já havia separado um dia específico na semana para trabalhar nele, às quintas-feiras, e, ainda assim, peguei-me procrastinando essa atividade, como quando tive a ideia sobre este livro.

Ao longo desta obra irei usar o projeto de mestrado diversas vezes como exemplo. Não só porque estou buscando uma forma de me tranquilizar sobre isso e compreender minha própria questão, mas porque também sei que a procrastinação acadêmica é um problema que, ou já lhe afligiu, ou ainda lhe aflige.

Lidar com a procrastinação é um projeto pessoal que se inicia entendendo de onde esse comportamento vem. O que é uma tarefa solitária, certo? Errado.

Neste livro, pretendo lhe mostrar que você pode ter uma relação mais saudável com os seus projetos pessoais, unindo um pouco de autoconhecimento e de disposição para tentar — e errar algumas vezes — e implementar estratégias funcionais, tudo isso acompanhado de algo ou alguém.

Topa a jornada?

Capítulo 1

Associação dos Procrastinadores

Procrastinar é um paradoxo. É bom não fazer o que precisa ser feito, mas também é muito angustiante saber que não estamos fazendo o que precisa ser feito. Eu sei bem, afinal, eu sou uma procrastinadora e fundadora da Associação dos Procrastinadores (ADP).

Se você chegou até este livro é bem provável que você seja um excelente candidato a entrar na ADP. Para nos certificarmos, no entanto, é preciso que você esteja bem familiarizado com algumas definições e que se identifique com alguns comportamentos.

Vamos iniciar com a mãe da nossa angústia. Afinal, o que é procrastinar?

Procrastinar é uma palavra com origem no latim, *procrastinare*. Qual a importância disso para nós, que estamos procrastinando? Nenhuma. Mas já que eu interrompi o meu fluxo de pensamento abrindo abas para procurar a etimologia da palavra, adicionei aqui.

Segundo definição do *Dicionário de Sinônimos da Língua Portuguesa*, procrastinar significa "remeter continuamente para o dia seguinte o que se deve fazer". Mas ousando contrariá-lo, nem sempre procrastinamos deixando para o dia seguinte. Às vezes, procrastinamos deixando para daqui a cinco minutinhos, para a hora seguinte, para daqui a uma semana, para o ano seguinte...

O tempo não é um limitante para nós, procrastinadores. Geralmente, o que limita a procrastinação é a urgência em entregar a atividade. Podemos postergá-la até que não seja mais possível não fazê-la. Em casos mais graves, como de alguns associados, a tarefa pode nunca ser executada apesar da obrigação em resolvê-la.

Alguns sinônimos para procrastinar são: adiar, transferir, demorar, retardar, protelar, remanchar, espaçar, prorrogar e por aí vai. Todos os termos nomeiam o mesmo comportamento que você deve conhecer bem: deixar para depois. Essa definição, contudo, originalmente, não tem conotação negativa, percebe?

Se você constantemente deixa para depois algo que se comprometeu a fazer, o requisito principal para candidatar-se à Associação você já tem. Mas se isso somente fosse suficiente, pessoas como Flávio, meu marido, também poderiam ser membros da Associação. O que nos difere de pessoas como ele é o que nós sentimos enquanto deixamos algo para depois: culpa. A culpa secundária à procrastinação muda completamente o significado proposto pelo dicionário.

A culpa, segundo o *Emocionário*,[2] um dos meus livros preferidos, é aquele sentimento "que nos invade quando acreditamos ter feito alguma coisa ruim". Fruto da nossa consciência e da nossa autocrítica, a culpa persegue-nos quando sabemos que estamos sendo responsáveis por algo que nos é prejudicial. Por causa dela não conseguimos desfrutar do prazer em simplesmente não fazer uma atividade.

Geralmente, quando deixamos algo para depois, supõe-se que houve um comprometimento prévio com aquela tarefa.

Quando eu decidi que faria o mestrado, eu planejei um dia na minha semana, a partir de uma data específica, para iniciar o projeto. Ou seja, comprometi-me comigo mesma a fazê-lo. Quando chegam o dia e o horário combinados e eu não me

---
[2] NUÑEZ PEREIRA, C.; R. VALCÁRCEL, R. *Emocionário*. 1. ed. Rio de Janeiro: Sextante, 2018.

sento em frente ao computador para produzir, automaticamente sinto culpa, pois falhei com o meu próprio combinado.

O problema é que a culpa é um sentimento com alto poder de paralisação. Como diz o professor e historiador Leandro Karnal, ela é um grande instrumento de controle.

A culpa cria convicções sobre nós mesmos, em geral negativas. Ela fala dentro da nossa cabeça:

— Por que você iniciou esse projeto?

— Não percebeu que ele é grande demais para você?

— Sabia que você não era capaz de resolver isso.

— Você vai ficar sem tempo.

— Se você entregar sabe que a qualidade não vai ser boa, né?

— Você não vai dar conta. Por que continuar?

Uma vez ouvida a voz da culpa, o que poderia ser prazeroso – afinal, você se permitiu ter mais tempo para outra atividade – torna-se um momento em que você tenta equilibrar-se numa corda bamba entre "eu posso deixar para depois" e "eu não deveria deixar para depois".

Procrastinar, para os Associados da ADP, é mais do que um ato de deixar para amanhã. Envolve, fundamentalmente, sofrer enquanto você deixa para depois.

Caso você se identifique com o exposto acima, parabéns, encontrou o seu lugar! Você tem todos os pré-requisitos para tornar-se um novo membro da Associação dos Procrastinadores.

Agora, desfrute do livre acesso ao Pequeno Manual Antiprocrastinação.

Capítulo 2

Procrastinar não é o mesmo que ter preguiça

Em minhas pesquisas sobre o tema deparei-me com uma vertente da literatura que associava a procrastinação a ser uma pessoa preguiçosa. Eu não posso discordar mais!

Basta olharmos a definição de preguiça no *Dicionário Online de Português* para constatarmos que não é sobre isso. Destrinchemos, portanto:

"Aversão ao trabalho; pouca disposição para trabalhar; ócio".

Procrastinar não é um ato que se instala pelo ócio. Pelo contrário. Nós temos o que fazer. Há muito o que ser feito. Podemos até sentir aversão à atividade em questão, mas não necessariamente. Pessoas que procrastinam podem amar o que estão tentando fazer e, ainda assim, postergam o início da atividade.

Veja, eu amo pesquisa, mais ainda escrever textos científicos. Ainda assim, quando se trata de redigir o meu projeto de mestrado, corro o risco de procrastinar.

> *"Lentidão em fazer qualquer coisa; morosidade".*

Podemos apresentar lentidão em executar a atividade que estamos evitando realizar, mas forneça-nos a possibilidade de fazermos algo irresistivelmente prazeroso que lhe ensinaremos o que é agilidade. Faremos rapidinho. Aliás, até coisas que não são classicamente prazerosas tornam-se tentadoras enquanto estamos procrastinando.

Enquanto adio o inadiável, posso facilmente limpar a minha casa enquanto lavo roupa, faço o almoço, faço carinho nos meus gatos, gravo vídeos para o TikTok e assisto televisão. Onde você vê morosidade aqui?

> *"Estado de moleza, de falta de vigor físico; prostração".*

Como você explicaria, então, a existência de associados da ADP que malham para procrastinar, hein? Aqui faço uma menção honrosa aos meus amigos Rodrigo e Isabelle, extremamente dedicados à musculação e ao crossfit, respectivamente. Ambos incrivelmente vigorosos, com muita aptidão física, e eventualmente prostrados – afinal, são humanos e já utilizaram a própria atividade física para fugir de outras atividades que tinham para fazer e consideravam aversivas.

"Falta de empenho na realização de alguma coisa; desleixo".

Embora atrasar o início de uma atividade possa provocar redução na qualidade do serviço prestado, especialmente devido à aproximação do fim de prazo para conclusão, isso não é uma regra aos membros da ADP.

É bem provável que se você compartilha de traços de perfeccionismo ou apenas seja uma pessoa responsável, mesmo procrastinando, consiga entregar a atividade com a qualidade exigida ou até acima da expectativa, pois enquanto você estiver realizando a atividade, estará empenhado em entregar qualidade. As pessoas verão o meu trabalho bem feito e, graças a Deus, não verão o meu processo de desenvolvimento dele, porque é muito provável que ao final dessa entrega eu esteja descabelada, sem banho tomado e taquicárdica devido ao excesso de cafeína.

Quanto à definição de preguiça, prefiro a do *Dicionário de Sinônimos da Língua Portuguesa*, que diz: "É o que tira a vontade de agir e de viver". Não é o nosso caso, membros da Associação dos Procrastinadores. Nós queremos viver e agir. Só nos distraímos nos caminhos com uma certa frequência.

Capítulo 3

Antiprocrastinação

Para eu explicar o que seria antiprocrastinação, sinto que preciso contextualizá-los sobre a origem desse termo para mim e, para tal, vocês precisam conhecer melhor, sob a minha perspectiva obviamente, uma pessoa muito importante em minha vida.

Flávio e eu nos conhecemos há quinze anos e estamos casados há sete. Lembro-me com clareza do dia em que nós interagimos pela primeira vez.

Fomos apresentados por uma prima minha que, já de antemão, havia comunicado ao meu pretendente sobre o meu interesse nele. Certa noite, em um jantar da igreja da cidade, ele aproximou-se de mim e indagou:

— Fiquei sabendo que você queria alguma coisa de mim. O que é?

— Uma Coca-Cola — respondi, usando todo meu charme ensaiado.

Há meses eu sonhava com esse momento. Na minha cabeça, depois dessa resposta, ele iria me tomar em seus braços, roubaria um beijo meu e, então, seríamos felizes para sempre.

ERA ÓBVIO que eu não queria uma Coca-Cola e, sim, um amasso! Porém vi em seu olhar que ele estava confuso.

Por via das dúvidas, ele comprou uma Coca-Cola.

Você pode estar pensando que o cerne do ruído de comunicação nesse caso deva-se à minha falha em flertar e deixar muito clara a intenção romântica. Por um tempo eu questionei isso também. No entanto anos de convivência com o Flávio ensinaram-me que isso aconteceu por uma característica específica da forma como o cérebro dele interpreta as informações, tendendo a preferir o significado literal das coisas.

Analisá-lo, aliás, passou a ser uma atividade muito interessante. Ao longo do nosso tempo juntos pude observá-lo, assim como um cientista a um rato em laboratório.

Após um longo período de coleta de dados, de análise estatística e de literatura, seguramente posso afirmar que sou casada com um alienígena. É a única explicação plausível. Afinal, um ser humano desprovido de preocupação excessiva nos dias atuais não existe, certo?

Exageros à parte, antes de eu ser diagnosticada com Transtorno de Ansiedade Generalizada, por vezes desejei que pudéssemos trocar de cérebro para que eu pudesse experimentar, nem que fosse por um dia só, quão pacífico deve ser viver sem se preocupar com tudo o tempo todo. Sonhava com a tranquilidade de não pensar catastroficamente sobre as situações e com o silêncio que isso deveria gerar entre as orelhas. Hoje, consigo ter longos períodos assim e devo isso ao meu tratamento realizado com dois profissionais — psiquiatra e psicóloga — e ao que aprendo diariamente com o Flávio.

Ele tem um lema de vida: só se preocupar com algo a partir do momento em que, de fato, esse algo exista. Mesmo quando esse algo se materializa, só será digno de preocupação caso não haja solução à vista.

Eu, como boa ansiosa, sou ótima em preocupar-me com o imaginário. Com o que existe, com o que não existe. Com o que tem solução, com o que não tem.

É uma preocupação? Estou vestindo.

Mas por que estou falando sobre ansiedade e preocupação se o assunto é procrastinação? Há uma relação entre níveis de preocupação e procrastinação? Com certeza há.

Pessoas com maiores níveis de ansiedade estão mais suscetíveis a procrastinar, especialmente devido à maior tendência a terem comportamentos evitativos.

É como se houvesse um desbalanço entre a capacidade de fazer atividades prazerosas e as não prazerosas. Estas, por sua vez, tendem a ser evitadas, pois nós tendemos a antecipar o desconforto em realizá-las. Podemos também dimensionar a dificuldade das atividades de forma desproporcional, sugerindo que elas são muito mais dificultosas do que, de fato, são.

Se você, assim como eu, tem essa tendência, que vou chamar de "distorção do nível de dificuldade", conseguirá lembrar-se de alguma situação em que procrastinou por muito tempo, e quando conseguiu realizar a atividade postergada percebeu que era muito mais simples do que imaginou.

Sabe a sensação de ter perdido tanto tempo pensando em como fazer algo que nem era tão difícil? Então, Flávio não sabe o que é. Ele é o protótipo da antiprocrastinação.

Não é que ele não deixe coisas para fazer depois. Ele, com certeza, deixa. Especialmente se for louça suja na pia, roupa dobrada para guardar e contas a pagar antes do vencimento. Segundo a definição de procrastinação no dicionário, já discutida anteriormente, ele procrastina sim, mas sem sofrimento. A atividade é simplesmente deletada da lista de tarefas do momento, pois não é merecedora de preocupação imediata, e sem preocupação não há ansiedade nem possibilidade para sofrimento.

Essa é a meta aqui.

Lidar com a procrastinação, assim como com a ansiedade generalizada, exige que aprendamos a conviver com ela. Lutar para nunca mais procrastinar tem o mesmo resultado que lutar para nunca mais sentir ansiedade: nenhum.

Nós, membros da Associação dos Procrastinadores, precisamos aprender a sermos antiprocrastinadores. Porém o prefixo "anti" não assume o significado de oposição, mas de empoderamento sobre a procrastinação. Afinal, precisamos manter o poder sobre a tomada de decisão em deixar algo para depois. O que queremos, contudo, é não sofrer com essa decisão. E assim será.

Capítulo 4

Viciados em procrastinar

Não é possível falar sobre estratégias para lidar com a procrastinação sem antes entender o que tem levado você a procrastinar.

Nas próximas linhas descreverei algumas possibilidades que são comuns a diversas pessoas que já se sentiram incomodadas com esse comportamento. Caso você se identifique com alguma, sugiro que realize uma marcação ou um destaque. Será importante depois.

No meio científico, procrastinação é definida como adiar uma tarefa, apesar de a pessoa sentir-se pior fazendo isso e de ter ciência sobre possíveis consequências negativas. Aquilo que nós, membros da ADP, entendemos bem.

Apesar da definição simples, os mecanismos associados ao desenvolvimento e à manutenção desse comportamento, contudo, são nebulosos, o que dificulta o próprio estudo do comportamento.

Não é um diagnóstico, mas às vezes é um sintoma. Nem sempre é intencional, nem sempre racional. A procrastinação talvez seja melhor descrita, então, como um fenômeno de múltiplas apresentações, que deve ser diferenciado, por exemplo, do adiamento inevitável, estratégico ou razoável.

Tomemos como exemplo, novamente, o meu projeto de mestrado. Considere que eu tenha me programado para trabalhar sobre ele em uma quinta-feira, das 9h às 13h. Curitiba, como uma boa cidade de tempo imprevisível, amanhece com um sol radiante, mas próximo às 11h é tomada por uma chuva torrencial, com fortes ventos, que levam à queda de um grande ipê roxo sobre os fios de energia em frente à minha casa. Recebo, então, um aviso da companhia de energia de que a luz estará suspensa até as 21h do mesmo dia. A mesma árvore caída bloqueia a saída do meu condomínio, impossibilitando o deslocamento até um local com energia. Eu aproveito, então, para descansar durante o resto do dia e retorno à minha atividade às 21h. Nesse caso, meu planejamento sofrerá um adiamento inevitável.

Agora imaginemos que a Secretaria de Defesa Civil tenha emitido um alerta de temporal e queda de árvores no dia anterior à chuva e que a companhia de energia tenha alertado sobre o risco de ausência de energia elétrica. Eu decido, assim, acordar às 9h e me deslocar até a casa de um parente fora da zona de risco, iniciando meu projeto às 11h. Nesse caso, meu planejamento terá sofrido um adiamento programado.

Por fim, ignoremos o cenário caótico de chuva. Aqui, Curitiba sustentou-se com o tempo firme e ensolarado, mas ao iniciar a escrita do meu projeto, percebo que não colhi informações suficientes sobre o tema e decido retomar para a análise da bibliografia. Estarei, nesse caso, realizando um adiamento estratégico.

É bem provável que você, membro da ADP, já tenha confundido um adiamento de atividade com procrastinação e que tenha sofrido com a mesma intensidade, mesmo havendo uma justificativa racional para a sua atitude. Perceba, contudo, que são comportamentos embrionariamente diferentes.

O adiamento, independentemente da forma, tende a ser resolutivo e fruto de flexibilidade. Digamos que você identifique um problema no momento de iniciar uma atividade e, então, faça o que está ao seu alcance para seguir com o planejamento, apesar de ele sofrer um atraso de início. Isso é um comportamento adaptativo.

A procrastinação, por outro lado, não é resolutiva. Ela justamente te distancia da resolução.

Voltando ao primeiro exemplo do temporal e da queda da árvore, procrastinar seria aproveitar a ausência de energia elétrica e adiar para outro dia o início do meu projeto, apesar de estar descansada e poder fazê-lo a partir das 21h.

No segundo exemplo, eu aproveitaria o aviso da defesa civil e da companhia de energia para dizer a mim mesma que "foi um sinal divino" para não iniciar o projeto e deixaria para outro dia.

No terceiro e último exemplo, eu adiaria a retomada de pesquisa bibliográfica com a justificativa de que não era o que eu havia planejado para o dia.

Na procrastinação fenômeno, eu preciso iniciar meu projeto, tenho recursos suficientes para isso e opto por não fazer, mesmo sabendo que a recompensa é desfavorável, pois agora eu tenho menos um dia para tal. Ou seja, é um comportamento mal adaptativo e, como tal, vicia.

Comportamento mal adaptativo é aquele que desenvolvemos como resposta a um estressor, seja uma demanda, um desafio ou uma situação específica que nos gere desconforto. Consideramos uma estratégia ruim, pois eles não são funcionalmente sustentáveis em longo prazo ou têm consequências negativas associadas. Só que, ainda assim, mesmo até cientes de tais consequências, mantemos o hábito. Isso acontece devido à sensação de recompensa imediata, que leva ao condicionamento de determinada ação.

Frequentemente, atendo jovens e adultos enfrentando quadros depressivos e ansiosos que desenvolveram como estratégia de enfrentamento do sofrimento agudo e intenso, a autolesão. Muitos relatam que esse comportamento alivia momentaneamente a angústia. Nesses casos, o sofrimento agudo seria o fator desencadeante de um comportamento que gera uma recompensa — o alívio da dor emocional. Naturalmente, o paciente condiciona ao sentimento de alívio esse comportamento mal adaptativo. Sempre que ele sente a angústia na mesma intensidade, a intenção dele é voltar à autolesão.

CICLO MAL-ADAPTATIVO

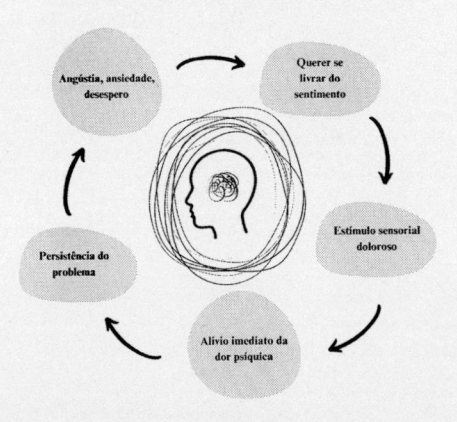

Angústia, ansiedade, desespero → Querer se livrar do sentimento → Estímulo sensorial doloroso → Alívio imediato da dor psíquica → Persistência do problema →

Essa estratégia, no entanto, é disfuncional por motivos óbvios. Nós não queremos que um paciente em recuperação mantenha um comportamento que gere lesão física a ele.

Com o tempo, devido à automaticidade, o paciente pode persistir com o hábito mesmo na ausência de reforço contínuo e, em casos mais graves, o próprio hábito — de autolesão, por exemplo — pode tornar-se um ato reforçador.

As condutas que têm recompensas óbvias tornam-se progressivamente mais prováveis de serem repetidas. É o que chamamos de reforço positivo, que tende a ser duplamente reforçado caso haja um adicional de sentimento positivo, como prazer e alegria. É por esse motivo que ao experimentar cocaína pela primeira vez, uma pessoa tende a retomar o uso em uma nova oportunidade. Ela aprende que o estímulo é prazeroso e rápido.

Inicialmente, procrastinação pode ser uma resposta a um evento específico, mas em suas apresentações crônicas, ela também pode ser um hábito, algo que você faça apenas por fazer, pelo prazer de procrastinar.

Capítulo 5

Os caminhos que levam à procrastinação

Como já aprendemos, o fenômeno da procrastinação não é uma experiência unânime na população humana. Dessa forma, precisamos considerar que existem fatores de risco para tal comportamento.

Fatores de risco são características ou condições que aumentam a chance de uma pessoa desenvolver uma condição. Tabagismo é fator de risco para diversos tipos de câncer, assim como ter diabetes é para infarto cardíaco.

Apesar da procrastinação não ser um diagnóstico como os vários tipos de câncer e o infarto, os estudiosos da área conseguiram levantar algumas situações comuns que facilitam o desenvolvimento desse comportamento – e eu adicionei mais umas. São elas: as tentações e as distrações, a aversão a uma atividade, o cansaço ou a falta de energia, a autossabotagem e a impulsividade.

TENTAÇÕES E DISTRAÇÕES

Imagine a seguinte cena: estou sentada em minha mesa, buscando, nas plataformas de artigos científicos, referências bibliográficas sobre o tema do meu mestrado. Nesse dia, em especial, meus amigos estão comemorando o aniversário de uma colega, e eu, educadamente, recusei o convite, pois já havia adiado ao máximo o início da busca bibliográfica.

Enquanto leio artigos sobre depressão pós-parto, sou bombardeada de pensamentos como: "Poxa, fulana vai estar lá, né? Faz tempo que não a vejo", ou "Ciclana falou que ia comprar brigadeiro de pistache. Eu amo brigadeiro de pistache".

Ambos os pensamentos atuam como tentações. Para que eu continue focada na minha atividade, precisarei exercitar — e muito — o autocontrole de impulsos. Caso não seja bem-sucedida nessa tarefa, é muito provável que eu... bom, eu fui.

Brigadeiro de pistache, poxa.

Distração é qualquer coisa que seja mais interessante do que a atividade que você está executando. Eu já percebi, por exemplo, que estar na minha casa, na presença dos meus gatos, é uma distração. Eles são lindos, afetivos, gostosos de apertar, ou seja, tudo o que um projeto de pesquisa não é. É uma competição injusta, concorda?

O fato é que tudo que funciona para você como brigadeiro de pistache ou gatos para mim aumenta bastante a chance de você procrastinar uma atividade.

Com certeza, dispositivos eletrônicos estão no número um no *ranking* de "ladrões de tempo", expressão que eu mesma criei. Independentemente da forma, seja celular, tablet, televisão ou videogame, eles estão ali, ao nosso lado, sempre que precisamos concentrarmo-nos em outra atividade, lembrando-nos que existe um mundo de atrativos à distância dos nossos dedos.

O TikTok, para mim, é um anjo e um demônio na mesma plataforma. Foi nela que despontei como influenciadora, construí minha rede principal de seguidores e, a partir do sucesso dos vídeos, minha carteira inicial de pacientes. Porém o TikTok também é um lugar em que o tempo, definitivamente, é relativo. Segundos viram horas em um piscar de olhos, ou mais precisamente, em um passar de dedos sobre a tela.

Esse modelo de plataforma foi criado justamente para isso. Em pouco tempo, o algoritmo descobre suas preferências e te expõe a minutos de vídeos que são de seu gosto, sob medida. Consequentemente, você fica preso ao aplicativo, alimentando-se da sensação prazerosa que só um estímulo de dopamina — a molécula do desejo e do prazer com ação no sistema nervoso central — é capaz de produzir.

Ter o celular ao meu lado enquanto preciso realizar uma atividade que estou procrastinando aumenta a minha chance de procrastinar justamente porque estou sendo lembrada pelo gatilho visual (aparelho telefônico) que com ele posso sentir esse prazer novamente.

Além de ser um potencial "ladrão de tempo", o celular é um "ladrão de atenção". Você já deve ter clicado na tela mesmo sabendo que não chegou nenhuma nova notificação, só para certificar-se de que, de fato, não chegou nenhuma notificação, não é? Ou, então, deixado o celular ao seu lado só pela chance de alguém ligar, ou checado o horário na tela mesmo não querendo saber que horas são. Esses comportamentos são reflexo de um cérebro que já está condicionado a preocupar-se com o que pode haver de novidade no celular e essa preocupação consome a sua atenção. Atenção que poderia ser melhor empregada na atividade que você está tentando realizar.

Minha mãe é fã de séries sobre animais em seu habitat natural. Ela descreve assisti-los, especialmente antes de dormir, como uma experiência relaxante. Realmente, para ela, funciona como sonífero. Leitura, por outro lado, é estimulante, contrariando todas as recomendações sobre estratégias de regulação de sono existentes.

Recentemente ela passou a sofrer dos terríveis efeitos vasomotores do climatério — os fogachos. Para quem, assim como eu, não teve o desprazer de conhecer esse fenômeno ainda, transcrevo conforme uma paciente descreveu-me: "É como se você estivesse pegando fogo, ao mesmo tempo em que tenta segurar o grito de desespero, porque já é loucura o suficiente estar pegando fogo sem ninguém enxergar a chama".

Uma vez que minha mãe tenha acordado de madrugada devido ao incêndio interno, ela poderia usar de sua estratégia infalível para dormir novamente, assistindo cenas cinematográficas de leões e filhotes na savana africana. Contudo nem sempre ela o faz. Por vezes, ela opta por engajar na leitura madrugada adentro, já sabendo que o sono será prejudicado e que, no dia seguinte, seu rendimento será parecido com o de uma zebra cansada após fugir de uma leoa.

Quer dizer, até mesmo livros podem atuar como distrações e tentações a depender do gosto do procrastinador. Aliás, você não está fazendo isso agora, está?

AVERSÃO À ATIVIDADE

Certa vez, uma paciente trouxe em consulta uma preocupação demasiada sobre o comportamento dela no trabalho. Ela acreditava estar procrastinando uma atividade e que isso, invariavelmente, levá-la-ia a descréditos com sua coordenadora.

A tarefa: organizar por ordem alfabética os itens do estoque da empresa.

O desafio: não morrer de choque anafilático.[3]

A última vez em que essa paciente havia entrado em contato com o estoque dessa empresa, ela evoluiu com uma reação alérgica à poeira do local, grave ao ponto de precisar ser socorrida pelos colegas, levada ao pronto atendimento mais próximo e ser medicada com adrenalina.[4]

Na ocasião, a coordenadora era outra. A atual, por desconfiar da seriedade da alergia, insistia para que a paciente realizasse a função. Afinal, ela teria mais tempo que os demais colaboradores para tal.

Toda vez que a paciente chegava próximo ao estoque sua mão gelava, seu corpo suava e ela imediatamente começava a chorar. Ela tinha medo de reviver a situação. E "se dessa vez ela não fosse socorrida a tempo?", pensava.

---

[3] Reação alérgica grave, que culmina com o fechamento das vias aéreas superiores caso não seja tratada imediatamente.

[4] Medicamento de escolha no manejo inicial da anafilaxia.

Após levar um ultimato da coordenadora, a paciente resolveu procurar-me. A consequência de não realizar a organização do estoque — provável demissão do emprego — contrapôs-se ao medo de um novo episódio de anafilaxia. Esse conflito interno estava gerando crises de ansiedade nela.

Obviamente, não insistimos na tarefa, e munida de um atestado ela foi dispensada da atividade.

Esse é um exemplo extremo de uma atividade aversiva levando à procrastinação de uma tarefa. Aqui, com um motivo muito justo.

Após esse conflito com a coordenadora, entretanto, essa paciente passaria a ter novos fatores de risco para procrastinar outras atividades na empresa, pois sentimentos como frustração com relação à empresa em que trabalhava e ressentimento com alguém que lhe solicitou uma tarefa também eram fortes preditores de procrastinação.

Prazos longos também são apontados como fatores de risco para procrastinação, haja vista que podem ser associados a maior dificuldade em executar a tarefa. Afinal, um trabalho solicitado pelo professor da faculdade tem maior chance de ser complicado quando ele fornece trinta dias para a entrega do que quando dispomos de uma semana para tal, certo?

Existe um tipo de atividade que, independentemente do prazo que eu tenho para realizar, é muito provável que eu a postergue.

Certa vez, contratei um serviço de carro por locação, e durante o uso dele cometi uma infração de trânsito. Depois de alguns meses recebi em meu e-mail um comunicado sobre a multa, o boleto referente ao valor e a solicitação de apresentação de condutor. Um clique no computador e acessei o boleto.

Ao final de quatro cliques no meu celular, ele estava pago. Simples assim. A apresentação de condutor, porém, não poderia ser mais complicada. O desafio começava ao tentar decifrar quais dos imperativos do e-mail estavam direcionados a mim, pois ele ignorava quaisquer regras de sintaxe.

Com esforço, eu compreendi que eu deveria preencher a notificação, o termo de responsabilidade e enviar, pasmem, via Correios, para um endereço que estava localizado a sete minutos da minha residência.

As outras exigências constantes no e-mail poderiam ser para mim, poderiam ser para a locadora, poderiam ser, inclusive, para qualquer pessoa, já que estavam simplesmente jogadas lá no texto, sem contexto.

Não convencida de que a única forma de solucionar esse problema seria com o meu deslocamento até uma agência de correio para contratar um serviço de entrega que eu mesma poderia executar (com o próprio veículo que eu aluguei com a empresa, aliás!), tentei contato com a prestadora. O telefone de contato indicado na mensagem não correspondia à ligação. Respondi o e-mail, então, com as seguintes palavras: "Gostaria de um outro telefone para entrar em contato e conversar sobre isso".

Ignorada.

Dois dias e dois e-mails depois, reforcei: "Já enviei diversos e-mails e fui ignorada".

Eles nunca responderam. Eu também nunca enviei os documentos pelos Correios.

Eu poderia levar a parte da documentação que eu entendi que me cabia até os Correios? Poderia. Mas e se a documentação estivesse incompleta? Eu receberia outro e-mail orientando a enviar mais uma carta com o restante? Eu não correria esse risco tenebroso.

Poderia também me deslocar até o endereço que a empresa solicitava com a documentação? Sim. Mas e se eles exigissem que a entrega fosse feita exclusivamente pelos Correios por algum motivo que só a burocracia poderia explicar?

Tantas dúvidas...

Preferi procrastinar.

Dois meses depois recebi um novo e-mail da locadora, comunicando que eu havia perdido o prazo de apresentação de condutor e que, agora, eu deveria pagar uma multa referente ao fato.

Poderia aqui escrever que fiquei chateada, mas, honestamente? Pagar o boleto corroeu-me menos a alma do que pensar na possibilidade de deslocar-me até a agência de correios. Aliás, se eu soubesse que essa era a consequência desde o início, não teria sofrido durante os longos sessenta dias que se passaram entre receber o primeiro e-mail e o segundo. Afinal, são cinco cliques *versus* utilizar um modo de entrega de documentos terceirizado.

Ironicamente, o primeiro e-mail enviado pela empresa começava com a frase "Procurando melhorar a qualidade dos serviços prestados...". Tá bom.

Cansaço ou falta de energia

Lendo assim parece óbvio, não é mesmo? Se mesmo depois de uma boa noite de sono você já procrastina, imagina em frangalhos? Tornar-se-á o protótipo da procrastinação.

Como um bom candidato à ADP, você muito provavelmente já deve ter assumido um compromisso, em meio a tantos outros, e quando chegou o momento de pôr em prática a atividade, arrependeu-se – já tarde demais para cancelar.

Quem nunca aceitou um convite para uma saída entre amigos, mas chegou o dia e a hora esperou até o último minuto para iniciar a produção, levantou-se da cama arrastando correntes e perguntou-se: "Por que eu fui dizer sim?". Ou, então, olhou para as roupas secas na lavanderia após chegar em casa do expediente e esperou que elas, milagrosamente, dobrassem-se sozinhas e fossem para o guarda-roupas.

É bem possível também que você possa ter dito ao seu chefe que aceitava mais uma demanda solicitada com urgência às 10h para entregar às 17h e durante as horas seguintes tenha pensado em formas de conseguir dar conta de entregar ao invés de realizar a tal demanda.

Em 2019, após me queixar para o meu pai que eu gastava comprando água mineral ao invés de adquirir um filtro de água, ele presenteou-me com um filtro de barro. Ele tinha lido que esse filtro fornecia um dos melhores níveis de qualidade de água do mundo.

O que não te contam sobre esse tipo de filtro é que ele constantemente exige limpeza, tanto da parte interna quanto externa, pois a cerâmica acumula uma camada de sais ao redor devido ao fenômeno de eflorescência, que pode favorecer o depósito de micro-organismos prejudiciais à saúde.

No mundo ideal, toda semana eu limparia o filtro e me livraria do risco. Na vida real, eu olho para ele, ele olha para mim de volta e nós dois concordamos em ignorar que ele possa causar-me algum mal. Isso porque, em meio à rotina de trabalho, estudos e serviços domésticos, a limpeza do filtro de barro deixa de ser a minha prioridade. Por isso, na dúvida, quando você vier até a minha casa como convidado, apesar da presença do filtro de barro na cozinha, espere que eu lhe sirva água mineral engarrafada.

Obs.: após a conclusão deste capítulo eu decidi comprar um purificador de água. O filtro de barro já não se encontra na minha cozinha e agora, caso você venha até a minha casa, poderá, seguramente, beber uma água filtrada sem preocupar-se com esse assunto.

Além da possibilidade de postergar uma atividade por sentir que você não consegue fazê-la no momento devido ao cansaço, esse estado pode deixar-nos mais sensíveis às tentações e às distrações. Também, quando estamos cansados, nossa capacidade de autogerenciamento e de regulação de emoções cai vertiginosamente.

A probabilidade de eu aceitar um convite de mim mesma para uma soneca estilo roleta-russa pós-prandial é diretamente proporcional ao meu nível de cansaço, por exemplo, principalmente se estou em um dia emocionalmente ruim. Afinal, "eu mereço"!

Aqui cabe uma explicação breve sobre a soneca roleta-russa.

Existem dois tipos de soneca pós-prandial, que é aquela realizada após a alimentação, mais comumente feita após o almoço.

A primeira é a soneca com tempo programado. Você institui um tempo — 15, 30, 45 minutos, a depender do quão rápido você consiga ingerir o almoço (mas isso não é uma sugestão de hábito, por favor). O despertador é programado e, quando toca, o sonho termina, literal e metaforicamente.

O segundo modelo de soneca pós-prandial, o preferido entre os autônomos e os home officers procrastinadores — aqui me incluo —, é aquele em que você se deita na cama, acomoda-se confortavelmente, fecha os olhos e diz para si mesmo: "Quando for para ser, despertarei". Poderá ser uma, duas, seis, oito horas depois. Como uma roleta-russa.

Dormir, aliás, é uma excelente estratégia para procrastinar. Mais adiante falaremos sobre isso.

Autossabotagem

Vamos considerar aqui a autossabotagem como o ato, consciente ou inconsciente, de criar obstáculos entre você e o que deseja, certo?

Estava cursando o primeiro ano da faculdade de Medicina quando o professor de Biologia Celular solicitou um trabalho em grupo sobre Hibridização *in Situ* por Fluorescência, ou FISH, um marcador celular usado para identificar anomalias em cromossomos em processos patológicos como o câncer de mama.

Se para você, leigo em assuntos biológicos — assim como eu no primeiro ano de faculdade —, isso pode parecer complicado, para mim naquela época não poderia ser menos interessante. Tão desinteressante que eu esqueci completamente da existência do trabalho até que, dois dias antes da apresentação, fui lembrada pelos meus colegas. Reunimo-nos, dividimos as funções e, salvo falha de memória, fiquei com a confecção do layout e do conteúdo dos slides, que não necessariamente exigiam que eu soubesse o conteúdo completo do trabalho.

O professor, muito astuto e já calejado de outros carnavais, ao final da apresentação sorteou um de nós cinco para responder algumas perguntas sobre o tema.

"Letícia". Pausa dramática.

Por mais atenta que eu estivesse ao conteúdo dos slides, eu não sabia responder porque o que ele me perguntou estava apenas na referência que eu deveria ter estudado. Felizmente, eu não zerei o trabalho, mas poderia.

Naquele dia eu aprendi que menosprezar a gravidade da consequência de uma procrastinação poderia me custar um semestre e se eu tivesse pago esse preço, com certeza, eu teria experimentado muitas emoções negativas.

Eu adiei estudar o artigo até chegar o momento em que pensar "não vai dar em nada" fosse reconfortante. Eu fui sabotada e só podia responsabilizar uma pessoa: eu.

Não valorizar as consequências imediatas e tardias de uma procrastinação pode ser perigoso. Afinal, o temor quanto à ocorrência delas é um dos principais mecanismos regulatórios para a interrupção do ato de procrastinar.

IMPULSIVIDADE

Posso dizer que a impulsividade e a procrastinação são primas em primeiro grau, daquelas que crescem juntas e compartilham entre si uma parceria inabalável.

Pode, a princípio, parecer contraintuitiva essa associação e eu entendo. Procrastinação envolve deixar para depois algo que precisa ser feito no agora. Já a impulsividade faz com que façamos no agora algo que poderíamos deixar para depois. Apesar dessas definições estarem corretas, pessoas mais impulsivas procrastinam mais!

Uma pessoa com altos níveis de impulsividade tende constantemente a favorecer recompensas imediatas às recompensas em longo prazo, cedendo às tentações às custas de seus planos maiores.

Entre ler um livro de oitocentas páginas ou esperar sair o filme, o impulsivo ignora que o desejo de saber a história já existiu, visto que o primeiro exige esforço ativo. O segundo, que espere, e é muito difícil para o impulsivo suportar a jornada, especialmente quando ela exige também a execução de uma atividade aversiva.

Nunca gostei de atividade física regular. Atenção para o "regular".

Jogar beach tênis eventualmente? Delicioso.

Corrida no Parque Barigui em um domingo de tempo ameno? Perfeito.

Aula experimental de crossfit? Apaixonante.

Adicione o regularmente depois de cada atividade e você me verá torcer o nariz.

Já perdi as contas de quantas vezes matriculei-me em academias de rede e cancelei um ano depois, tendo frequentado três ou quatro meses apenas.

Não gosto de me arrumar para treinar, da obrigação de lavar o cabelo diariamente, do deslocamento, seja ao acordar ou ao final do expediente.

Por outro lado, nos momentos em que estou engajada com a atividade física, seja ela qual for, fico consideravelmente mais disposta e eficiente. Poucas coisas geram em mim tanta sensação de autoeficácia do que conseguir realizar tudo aquilo que eu me proponho a fazer.

A atividade física contribui para essa versão melhor de mim. Ela ajuda-me a procrastinar menos.

Porém o prazer imediato em permanecer na situação confortável que estou, sentada no meu sofá ou deitada na minha cama, tende a vencer.

Eis, portanto, o meu maior paradoxo: eu procrastino a atividade que justamente me auxilia a parar de procrastinar!

A dificuldade em postergar a recompensa em benefício da satisfação imediata é, inclusive, uma das principais responsáveis pelo fracasso de muitas pessoas em seguirem com planos alimentares focados em redução de gordura.

Vamos tomar como exemplo uma paciente minha. Ela tem 35 anos, dois filhos e é mãe solo. Trabalha quarenta horas por semana e está preocupada com a saúde física, pois na pandemia de COVID-19 engordou 15 quilos e, atualmente, está com obesidade, diabetes e hipertensão. Após consultar uma nutricionista e uma endocrinologista estava decidida a engajar em um programa de reeducação alimentar. O plano alimentar contava com um déficit calórico e, a partir do início dele, ela deveria dizer adeus ao armário de biscoitos e doces que tinha em casa. Fez a compra do mercado adaptada à dieta, matriculou-se no pilates.

No dia seguinte às consultas, o ex-marido ligou avisando que nos dois meses seguintes não conseguiria enviar o valor referente à pensão dos filhos. Naquela noite, o mais novo precisou ser internado às pressas devido a complicações de uma infecção de vias aéreas. Na admissão, a paciente descobriu que o plano de saúde não estava sendo pago havia 2 meses — era responsabilidade do pai das crianças. Ela não pensou duas vezes. Usou de sua reserva financeira para quitar a dívida, já se arrependendo do valor investido na matrícula do pilates.

Durante os três dias de internamento, ela comeu todas as suas emoções. Chocolate para a ansiedade, biscoito recheado para a angústia, salgado frito para a tristeza. Era o refúgio que ela conhecia.

Em curto prazo, regulava o ânimo. Em longo prazo, mais distante ficava da saúde que almejava. O mesmo cabe a mim quando cancelo o check-in na academia.

Em ambos os casos estamos priorizando a recompensa imediata. No caso da minha paciente, recorrer ao excesso de açúcar foi o que a separou de colapsar os nervos e permanecer disponível para o seu filho. Novamente, era a única estratégia que ela conhecia de autorregulação.

Reconhecer o que deve ser feito nem sempre é o mais complicado. Controlar os impulsos, por outro lado, pode ser bem desafiador. É o que justifica, por exemplo, o fato de, mesmo você estando 150% comprometido com o seu plano alimentar de déficit calórico, ao chegar no momento de pedir a sobremesa em um restaurante opte pelo brownie com sorvete de creme ao invés de já pedir o café sem açúcar.

Eu sei exatamente todos os benefícios da atividade física regular. Sou médica, afinal. Minha paciente sabia melhor do que ninguém que a situação de saúde dela era preocupante. Não nos faltou dimensionar a gravidade do problema, mas, sim, o controle do impulso frente ao sentimento negativo, e quando isso acontece, especialmente com frequência, colocamos em risco o início daquilo que nos trará a solução.

Capítulo 6

Questione-se

De todos os loucos do mundo eu quis você
Porque eu tava cansada de ser louca assim sozinha
De todos os loucos do mundo eu quis você
Porque a sua loucura parece um pouco com a minha.

(De todos os loucos do mundo – Clarice Falcão)

A sua loucura até pode ser parecida com a minha, mas ela é só sua, bem como a sua procrastinação. E é por essa característica que este não é um livro de respostas prontas. Caso eu ousasse dizer que tenho as soluções para a sua procrastinação, eu submeteria você a uma posição de dependente, um ser incapaz de analisar-se e ponderar sobre as próprias escolhas e, pior ainda, incapaz de exercer a autocrítica.

Só você está dentro do seu contexto de vida, da sua rotina. As ações que você toma enquanto está procrastinando também são só suas, pois vieram como consequências de um pensamento particular.

Por isso, caro membro da Associação dos Procrastinadores, é necessário que você realize uma análise pessoal sobre esse comportamento. Aqui é onde você exercerá um de seus deveres dentro dessa comunidade de sofredores.

Lembra-se que eu pedi para você marcar ao longo da leitura caso você se identificasse com algum tipo de comportamento relatado? Inspirado nessas identificações, reserve o próximo minuto para pensar e escreva a seguir:

Em quais situações eu procrastino?
*(*não se limite a uma. Nós sabemos que são várias)
Exemplo: lidar com burocracia.

O que essas situações me fazem sentir?

Exemplo: incompetente e despreparada para ser adulta.

_____
_____
_____
_____
_____

Nessas situações, é provável que eu procrastine tomando quais ações?

Exemplo: distraio-me com outra atividade mais interessante até que esqueço que preciso resolver a burocracia.

_____
_____
_____
_____
_____
_____

Como eu me sinto enquanto estou procrastinando?
Exemplo: culpada, porque sei exatamente o que estou fazendo e que provavelmente terei que resolver a complicação mais tarde.

___

Quais são as consequências imediatas da minha procrastinação?
Exemplo: perda do prazo para entrega de um documento.

Qual o pior cenário/consequência que essa procrastinação pode me causar?
Exemplo: pagar uma multa por ter perdido o prazo.

___

De zero a dez, sendo zero "nada preocupado" e dez "muito preocupado", o quanto o pior cenário lhe preocupa?
Exemplo: 7.

Agora, você dispõe de um panorama sobre o problema em questão, pois está munido da sua cascata de pensamentos, sentimentos e decisões que ou culminam com a procrastinação ou com o desenvolvimento de emoções negativas.

É bem provável que só por tê-los identificado e exposto em palavras você esteja sentindo-se melhor. Caso isso tenha acontecido, você acaba de experimentar o resultado imediato de uma estratégia para lidar com a procrastinação: desenvolvimento de autoeficácia.

Indivíduos que têm fortes crenças em suas próprias capacidades têm maior probabilidade de alcançar uma meta. Isso é autoeficácia.

É um conceito muito usado por nós dentro do contexto do tratamento da dependência química de substâncias psicoativas. Toda vez que o paciente sente a fissura e consegue passar por ela sem recair, ele aumenta a sensação de capacidade de controle sobre a doença.

Uma vez que você tenha conseguido, sozinho, identificar as principais situações e consequências relacionadas ao seu comportamento disfuncional, é bem provável que você também consiga desenvolver estratégias para lidar com o comportamento. É como se materializando o problema, você passasse a vislumbrar a solução e sentir-se capaz de atingi-la.

E, de fato, você é capaz, mas não precisa, necessariamente, fazer isso sozinho.

Capítulo 7

Busque auxílio

É natural que em momentos que não estamos nos sentindo bem, seja pelo motivo que for, busquemos alternativas rápidas de autorregulação. Isso explica, em partes, por que tendemos a gastar dinheiro em compras desnecessárias ou criamos urgência para justificar novos gastos. Também explica por que queremos alimentos ricos em açúcar.

Depois de algumas consultas, uma paciente sentiu-se confortável o suficiente para contar que a estratégia dela de manejo de raiva intensa era a masturbação. Logo após me contar, era nítido em sua face que ela esperava ser repreendida, o que, obviamente, não aconteceu. "Faz muito sentido, ora!", respondi. Todas as estratégias citadas até agora promovem autossatisfação imediata, inclusive a masturbação.

A questão com essas estratégias é que ou elas geram mais prejuízo ou são incompatíveis com a maioria das situações. Um impasse que a própria paciente havia experimentado após brigar com outra cliente na fila do supermercado devido à dúvida sobre quem havia chegado primeiro no local. Como ela usaria a estratégia de autorregulação que ela conhecia sem ser presa por atentado ao pudor? Foi quando ela percebeu que precisava ampliar os recursos que tinha e me encontrou.

O que ela fez é o que deveríamos fazer sempre que nos percebemos limitados frente a algum problema. Buscar ajuda.

A ajuda, nesse caso, pode vir em forma de conhecimento autodidata, por meio de pessoas com mais experiência sobre o assunto ou mesmo com profissionais especialistas.

Apesar deste livro almejar ser um manual para guiá-lo nessa jornada de autoconhecimento e promover o emprego de estratégias de enfrentamento, ele está longe — e nem pretende — ser tudo o que você precisa, especialmente porque somente você sabe da gravidade e da cronicidade da sua procrastinação. A depender disso, uma ajuda profissional qualificada deve ser acionada.

A avaliação do comportamento que você percebe como disfuncional é uma, entre as várias, indicações de acompanhamento com psicoterapia.

Aprendemos mais cedo que a procrastinação, sobretudo quando adquire o caráter crônico, é um comportamento disfuncional que emerge devido a um déficit de controle regulatório das próprias emoções. É exatamente nesse déficit em que os profissionais clínicos da psicologia podem atuar. Eles podem trilhar com você um caminho de percepção das alterações emocionais desencadeadas pela procrastinação, identificar objetivos mais concretos, analisar e desenvolver estratégias particulares de enfrentamento de situações difíceis, além de ajudá-lo a implementar e monitorar essas estratégias.

Abordagens de psicoterapia com melhor evidência para manejo de procrastinação são a Terapia Cognitivo-Comportamental (TCC) e Terapia Comportamental Dialética (DBT). Terapia Cognitiva Comportamental é uma abordagem desenvolvida por Aaron Beck na década de 60, voltada para o presente e para a resolução de problemas atuais, atuando sobre a modificação de pensamentos e de comportamentos disfuncionais.[5]

Duas décadas depois emergiu a DBT, uma técnica desenvolvida inicialmente para o manejo de comportamento suicida e lesões autoprovocadas, mesclando o desenvolvimento de estratégias de aceitação e de técnicas de mudança de comportamento. Anos depois, passou também a ser

---

[5] BECK, Judith S. *Terapia cognitivo-comportamental*: teoria e prática. 2. ed. Porto Alegre: Artmed, 2013.

empregada em outras queixas e hoje é considerada a abordagem referência para o Transtorno de Personalidade Borderline.[6]

Até o momento não há um estudo que compare e defina a superioridade de uma abordagem frente a outra. Novos estudos têm emergido apontando benefícios em outras abordagens, como Análise Comportamental e Terapia de Aceitação e Compromisso.

Isso significa que, independentemente de qual você escolha, quanto mais você estiver disponível a perceber melhor suas emoções – tolerando especialmente as emoções negativas – e ser capaz de confrontar situações que lhe desencadeiam emoções negativas, mais perto você estará de melhorar a sua condição de procrastinador crônico.

Conhecer e caminhar a vida com o auxílio da minha psicóloga faz-me uma mulher, esposa, filha, irmã, neta, estudante e profissional melhor, justamente porque me mantém atenta às minhas emoções e como eu lido com elas. Posso dizer que meu arsenal para lidar com a minha ansiedade é extenso graças a essa jornada de autoconhecimento guiada. Da mesma forma, trabalho também para desenvolver novas estratégias para desviar da minha tendência de procrastinação, que mais adiante compartilho com vocês.

---

[6] LINEHAN, Marsha M. *Treinamento de habilidades em DBT*: manual de terapia comportamental dialética para o terapeuta. 2. ed. Porto Alegre: Artmed, 2017.

Capítulo 8

De uma procrastinadora para outra(o): minhas estratégias

Literalmente, como um livro aberto, compartilho nas linhas a seguir os principais dilemas da minha vida quando o assunto é procrastinação.

Alguns deles me acompanham desde tenra idade. Percebe-se a gravidade do fenômeno procrastinação nessas áreas porque, até hoje, em minha terceira década de existência, luto contra ele. Acredito, muito pelo o que escuto entre as quatro paredes do meu consultório, que ao menos duas das três situações a seguir são comuns a muitas outras pessoas.

Procrastinação
com atividade física

"Vou deixar para amanhã, pois amanhã será um novo dia. Amanhã estarei melhor!". Reconhece esse pensamento?

Automaticamente, quando me percebo pensando assim, um sorriso sem-vergonha desponta no canto do meu lábio. Eu sei que estou procrastinando.

Que a atividade física regular é uma das melhores armas que dispomos para lutar contra o adoecimento crônico do ser humano não é novidade. Talvez, justamente por ser algo amplamente difundido e sempre exposto pelas mídias que, para mim, o exercício torna-se uma atividade aversiva. Afinal, como eu não vou odiar alguma coisa que "todo mundo" diz que é maravilhoso, mas que enquanto eu estou praticando experimento níveis variados de dor e desgaste?

Então, quando o médico cardiologista diz no programa matinal da televisão que atividade física regular reduz o risco de infarto, tudo o que eu consigo ouvir é: para eu não sentir a dor do infarto uma vez na vida eu preciso sentir dor pelo menos cinco vezes na semana durante toda a vida.

E aí chegamos ao inconveniente número dois da atividade física: é um esforço que ninguém pode fazer por mim. Os frutos da prática do exercício são algo que não podem ser comprados, nem adquiridos por herança ou presente. Eu preciso conquistar.

Assim, para eu consiga embarcar numa jornada regular de atividade física eu preciso:

Primeiro – assumir que sim, a execução da tarefa poderá ser extremamente desgostosa.

Segundo – que somente eu posso fazer isso por mim.

Terceiro – ninguém me cobrará resultados (a não ser que seja contratado para isso).

Quarto – os benefícios da execução serão percebidos somente tempos depois do início da atividade.

Ou seja, é algo que exige consideravelmente três virtudes: adiamento de recompensa, responsabilidade e compromisso comigo mesma. Então, quando admito que estou procrastinando a atividade física, estou também dizendo que tenho dificuldade em adiar a recompensa, estou agindo de forma irresponsável com a minha saúde e faltando com comprometimento comigo.

Não pense que constatar isso não dói. Constatação sem ação, contudo, é teoria.

Dentre as várias estratégias que tentei ao longo dos anos, a que mais me trouxe resultado nesse departamento foi o que é chamado de Planejamento de Ação.

Partimos do princípio que entre o desejo de realizar atividade física e, de fato, iniciá-la, existe um intervalo subjetivo de tempo, que varia muito entre as pessoas. Há quem entre decidir matricular-se em aulas de bike indoor e pedalar leve apenas um dia. Outros podem ficar dias, meses ou anos com a intenção da matrícula.

Planejamento de ação tem o objetivo de preencher a lacuna entre o desejo/a intenção e a ação. Entre a vontade de matricular-se e fazer a primeira aula.

Tem sido descrito como uma das principais estratégias para auxiliar pessoas a tornarem-se mais fisicamente ativas, pois envolve o desenvolvimento de comportamentos preparatórios, que reduzem aquela sensação de que executar a tarefa final pode ser muito difícil.

Todo comportamento que antecede a execução do comportamento-alvo pode ser considerado comportamento preparatório.

Imagine que o seu objetivo relacionado à atividade física seja correr uma maratona de 5 km até o final do ano. É a meta final, o seu comportamento-alvo. Como você vai fazer isso, os passos que precisa dar para alcançá-lo são os comportamentos preparatórios. São a "submetas". A seguir, compartilho um exemplo de tabela de metas que costumo utilizar:

META FINAL: CORRER MARATONA 5KM			
SUBMETAS	CURTO PRAZO	MÉDIO PRAZO	LONGO PRAZO
COMPRAS TÊNIS DE CORRIDA	✓		
MATRÍCULA NA ACADEMIA	✓		
MUSCULAÇÃO 3X/SEMANA			
CONTRATAR TREINADOR DE CORRIDA	✓		
COMPRAR ROUPAS ADEQUADAS PARA O TREINO			
INSCRIÇÃO NA MARATONA			
CORRER 3KM		✓	
CORRER 5KM			

Quanto mais descritiva e detalhada for a sua lista de comportamentos preparatórios, melhor.

É uma estratégia amplamente utilizada pela nutrição, aliás. Umas das orientações mais comuns para pacientes que tendem a beliscar alimentos pouco nutritivos ao longo do dia é deixar preparadas na geladeira opções mais condizentes com o plano alimentar. Isso envolve o planejamento do lanche, como comprar a fruta, lavar e deixá-la picada na geladeira.

Uma vez que as tarefas preparatórias sejam concluídas, você terá a necessidade de recompensar o investimento feito até então. Além disso, a sensação de dificuldade em concluir a meta final será reduzida, afinal, você já terá concluído parte do esforço que sua mente estava dimensionando como difícil de realizar. Você melhorou a sua autoeficácia, percebe?

Foi justamente a autoeficácia que me fez persistir em acordar às 5h40 todos os dias, de segunda a sexta, durante quatro meses, para estar na academia às 6h. Eu percebi que conseguia fazer algo que sempre acreditei que fosse impossível. "Acordar cedo para malhar? Eu? Jamais!", dizia orgulhosa.

Hoje orgulho-me de, mesmo que por um breve período de tempo, conseguir elevar meu senso de responsabilidade ao ponto de considerar tentar. Quando meu senso de responsabilidade baixou, no entanto, eu interrompi a atividade. E aqui estou eu, mais uma vez, elencando meus comportamentos preparatórios para recomeçar.

Procrastinação acadêmica

Procrastinação acadêmica é um problema mundial. Aliás, é onde mais se encontram focados os estudos sobre o tema procrastinação atualmente. Estudos mostram que 50-70% dos estudantes de universidades tendem a procrastinar regularmente, independente de raça e sexo. Uma diferença é percebida relacionada à idade. Alunos mais jovens tendem a procrastinar mais, o que pode ser justificado pelo menor senso de responsabilidade frente às tarefas.

Faz sentido para mim. Meus primeiros seis meses na faculdade foram muito marcados pela procrastinação. Avaliando retrospectivamente, eu colecionava alguns fatores de risco para tal.

As tentações eram diversas. Após dois anos de preparação em cursinho pré-vestibular, eu me sentia no dever de aproveitar tudo o que a faculdade pudesse me oferecer de experiência que não envolvesse estudar. Bateria, esportes, festas e confraternizações entre amigos. Distrações não me faltavam e eu cedia facilmente a elas.

No cursinho pré-vestibular estava muito bem-adaptada a ler o conteúdo proposto para o dia, sob o formato de apostila, e realizar os exercícios sobre o assunto na sequência. Mas essa não era a realidade das disciplinas na faculdade. Não havia apostila com o conteúdo do dia, muito menos exercícios prontos só para eu responder. Senti muito essa perda, especialmente em uma disciplina: Bioquímica. A dificuldade em compreender como eu estudaria essa matéria e seria bem-sucedida nas provas fez com a aversão ao estudo dela só se intensificasse.

Em meados de 2013, o aplicativo de comunicação WhatsApp lançou uma atualização que permitia o envio de fotos entre os usuários. Lembro-me de participar de um grupo com colegas da faculdade em que imagens nossas deitadas na cama prestes a cochilar tornaram-se recorrentes, sobretudo nos dias que antecediam as provas de Bioquímica.

Era minha primeira faculdade e eu estava com menos de 20 anos de idade. Jovem, inexperiente e assustada com as dificuldades acadêmicas. Ao final do primeiro semestre fui confrontada com o meu boletim. Para alguém acostumada a sempre ter notas acima da média, encarar três provas de recuperação (as chamadas finais) foi decepcionante.

Percebi que precisava me reorganizar. Definir prioridades foi essencial. Ao invés de assumir todas as propostas de atividades extracurriculares que me ofereciam, fiquei com aquela que funcionava como o contraponto ao estresse que o estudo gerava, a bateria. Demais atividades ficariam para um segundo momento, como recompensa à melhora do meu desempenho.

Conversei com colegas que estavam evoluindo melhor em notas e entendi que determinadas matérias exigiriam estudo ativo para além do explanado em sala de aula; já outras, o estudo da transcrição das aulas seria suficiente. Meu salto de produtividade no segundo semestre foi substancial e muito me orgulha o fato de esse aprendizado ter repercutido até o final da minha graduação.

Hoje, engajada na produção do meu projeto de mestrado, percebo que não é mais a imaturidade que me atrapalha, ou a aversão a atividade ou distrações.

Quando estou próxima a sentar em frente à tela para dar seguimento ao projeto, alguns pensamentos intrusivos emergem:

"Precisa ficar perfeito".

"Ele pode não ser aprovado se você falhar na qualidade".

São as vozes do perfeccionismo. Não existe voz imperativa mais intimidadora do que a que você produz quando não se permite falhar.

O medo de não entregar um projeto com a qualidade à altura da instituição e da orientação gera-me desconforto. Na tentativa de desviar dele, meu mecanismo de autorregulação grita, pedindo que eu evite a atividade.

Acontece que, ao evitá-la, eu reforço a crença de que não sou capaz, culminando com a baixa autoestima. Na próxima vez que eu for iniciar o projeto, estarei ainda mais insegura quanto à minha capacidade em executá-lo adequadamente.

Como eu cortei esse ciclo?

Primeiro, busquei referências de projetos já aprovados pela instituição e mesma orientadora, pois mantendo a qualidade semelhante, mantenho relevante a chance do meu projeto ser aprovado. Ou seja, ter elucidado qual é a expectativa de terceiros assentou a minha expectativa.

Manejo do tempo é essencial.

Ter separado um dia na semana em específico para essa atividade também contribuiu significativamente para a redução da minha ansiedade relacionada à tarefa. Às quintas, nada mais é prioridade além do projeto.

Considerando que eu inicie a atividade às 10h e termine às 22h, eu teria doze horas ativas para executá-la. Por mais focada que eu fosse, ficar doze horas seguidas concentrada é impossível; para mim, uma hora de concentração ativa já é difícil. Por isso recorro a uma estratégia de estudo intervalado: o método Pomodoro.

Aprender exige um esforço alto do cérebro que naturalmente gera fadiga, ainda mais se adicionarmos a carga mental associada a ponderar o custo dessa atividade.

Digamos que você decida estudar com o seu celular ao lado da apostila, caderno, computador ou tablet. Uma porção da sua atenção estará direcionada à expectativa de que algo surja de interessante nele.

Ter momentos de descanso entre o estudo permite que você tranquilize a urgência em pegar o celular para checar as redes sociais, por exemplo, pois você poderá fazer isso em determinado momento, no seu descanso.

Pomodoro é uma técnica bastante conhecida de pausas sistemáticas. Ela consiste em manter 25 minutos de concentração sobre a atividade de aprendizado, seguidos de uma pausa de cinco minutos. Na pausa, qualquer atividade diferente do estudo é permitida. Esse esquema é repetido quatro vezes até que seja permitida uma pausa mais longa, como 15-30 minutos.

Pausas sistemáticas podem ser ajustadas conforme a percepção de esforço e capacidade em fazer períodos mais longos de estudo sem perder a qualidade. Para mim funciona bem.

Particularmente, nos intervalos gosto de olhar minhas redes sociais, mas também alterno com alongamentos e verificar o que de mais interessante pode estar acontecendo na minha vizinhança.

Aqui também cabe mencionar outra estratégia que uso para coordenar meus estudos desde o início da minha especialização em Psiquiatria e que meus colegas de turma rapidamente perceberam como era fundamental na minha regulação.

Criar tabelas no Excel, além de ser uma atividade relaxante — pois posso trabalhar com diferentes fontes de letras e cores —, ajuda-me a visualizar e a dimensionar o trajeto que preciso percorrer para finalizar uma atividade, bem como o caminho que eu já trilhei.

Certa vez, decidi resumir um tratado inteiro de psiquiatria. Para organizar-me com o processo, criei uma tabela enumerando os capítulos. Fiz também uma legenda para que eu pudesse acompanhar a evolução, como mostra o exemplo a seguir:

Capítulo	Situação
1	Completo
2	Incompleto
3	
4	
5	
6	Completo
7	
8	Incompleto
9	
10	
11	Completo
12	
13	Completo
14	
15	Completo
16	

Legenda	
Incompleto	
Completo	
A fazer	

Inconscientemente, eu havia criado uma estratégia de autoavaliação da minha produção, que melhorou a minha percepção de autoeficácia.

Visualizar um capítulo incompleto criava a urgência em terminá-lo, e toda vez que eu assinalava o capítulo como completo e estava mais perto de concluir o objetivo, percebia que queria avançar na produção. Ou seja, visualizar a conclusão por meio do preenchimento da atividade como concluída melhorava a minha percepção de capacidade em finalizá-la.

Compartilho também a estratégia que, embora eu a utilize essencialmente em contextos de produtividade acadêmica, poderá lhe servir para outras demandas. Chamo-a de preparação do ambiente.

Forçar-me a estudar com a louça suja, cama desarrumada e cheiro de areia de gato no apartamento é infrutífero. Demorei para entender e somente depois de a minha psicóloga sinalizar isso é que percebi como estar em um ambiente desorganizado desorganizava-me também.

Agora, para estudar, precisa entrar no meu planejamento de horário o tempo que levo para estabelecer a ordem no apartamento. Uma vez que eu contemple a casa organizada e cheirosa, entendo que chegou o momento inadiável de empenhar esforço no aprendizado e ele flui melhor.

Atenho-me a organizar o estritamente necessário, pois realizar uma faxina completa cansar-me-ia e geraria outro fator de risco para a procrastinação.

Deixo para o fim a estratégia mais infalível por mim praticada: o compromisso com terceiros. E, aqui, cabe uma contextualização e a apresentação de novas personagens importantes na minha história.

Após seis anos de faculdade de Medicina, decidi atuar como clínica geral em uma Unidade Básica de Saúde — conhecida popularmente como postinho — em Mandirituba, região metropolitana de Curitiba. Lá convivi durante meses com amigas especiais, a Lara e a Carol. Além das semelhanças de personalidade, acredito que outro fator importante para a manutenção do nosso vínculo foram os objetivos que tínhamos em comum. Todas faríam provas para cursar a Residência Médica (programa de especialização na Medicina) em breve.

Uma vez determinadas as datas das provas, programamos nossa rotina de estudos e comprometemo-nos a revisar determinados temas que eram mais relevantes para os testes que faríamos. Mantivemo-nos atualizadas constantemente sobre as evoluções e as dificuldades de cada uma. Ajudávamos umas às outras com as dúvidas sobre os temas e incentivávamo-nos conforme cada uma precisava. Mais próximo às primeiras provas, minha melhor amiga, a Camila, juntou-se a mim regularmente para estudos de revisão.

Embora cada uma estudasse de forma independente e individual, ter a companhia de pessoas com objetivos em comum no meu dia a dia e tão dedicadas a eles trouxe-me a sensação de pertencer a um grupo de apoio mútuo. Não é possível mensurar objetivamente quanto dessa sensação foi relevante para a nossa aprovação em programas de especialização, mas tenho certeza de que teria sido mais difícil sem a existência dela.

Após três anos de especialização em Psiquiatra, deparei-me com um novo desafio: a aprovação na prova de título de especialista. Uma espécie de certificação de qualidade de ensino.

Apesar de o médico poder atuar em qualquer área da medicina que se sinta capacitado, ter o título da especialidade chancela a boa prática médica naquela área.

Trata-se de uma prova em duas fases. A primeira fase, teórica, muito desafiadora, exige conhecimento detalhado sobre os vários temas que envolvem a psiquiatria. A segunda, prática, é a avaliação criteriosa de um paciente real e determinação de conduta médica.

Já dimensionando a dificuldade, programei-me com um ano e meio de antecedência para iniciar a programação de estudos. A fase de preparação para iniciar essa atividade envolveu avaliar todas as últimas nove provas aplicadas nos últimos anos, identificar os temas cobrados, organizá-los em uma tabela, estratificar os mais relevantes conforme a prevalência nas provas, separar as referências bibliográficas e identificar os capítulos mais cobrados. Uma vez munida desses dados, um cronograma de estudos foi montado.

Nos primeiros doze meses, a frequência de estudos seria uma vez na semana. Seis meses antes da prova, duas vezes na semana, e três meses antes, três vezes na semana. Orgulhosamente, posso dizer que o cronograma foi seguido o mais próximo possível à risca. Dessa vez, contudo, eu não estudei sozinha.

Carolina, Isabelle e Marina, minhas amigas e companheiras de especialização em Psiquiatria, não se intimidaram pela programação meticulosamente desenhada. Pelo contrário, abraçaram a estratégia e ao longo de meses reuniram-se comigo, primeiramente às quartas-feiras, depois às segundas e às quartas. Mais recentemente, segundas, quartas e quintas.

Imagino que já deva ter lhe ocorrido combinar algo com amigos e o plano não mudar do status de plano para realidade. Aqui em Curitiba, ao menos, é relativamente comum o seguinte diálogo:

— Precisamos combinar algo, hein? — diz o amigo empolgado 1.

— Nossa, precisamos sim! Estou muito animado — responde o amigo empolgado 2.

— Vamos marcar, então!

— Vamos!

E nenhum dos dois falaria mais sobre o assunto.

Achei que, nesse plano específico de estudos, isso também aconteceria.

Descrente do meu comprometimento — e secretamente das minhas amigas também, afinal estávamos comprometidas também com quase 50 horas semanais de atividades práticas da especialização em Psiquiatria —, combinamos o primeiro dia de estudo. Surpreendentemente, nas semanas que se seguiram continuamos a nos encontrar.

As reuniões tornaram-se um porto seguro para mim. Nelas, desabafamos, atualizamo-nos sobre as fofocas do momento, reclamamos sobre qualquer coisa, comemos e, também, estudamos. Isso, além de reduzir a minha sensação de estresse associada à aproximação da prova, também equilibra as emoções negativas quando o assunto a ser estudado no dia é um que eu considero aversivo.

Escrevo este capítulo nos meses iniciais de 2024, estando, portanto, ainda sob a execução do calendário de estudos, já que a prova acontece apenas no segundo semestre deste mesmo ano.

Não posso dizer que a meta final foi concluída, pois ainda não realizei a prova de título. As submetas, porém, estão sendo executadas, semana após semana. Certamente, devo isso ao compromisso que fiz no início com as minhas amigas e reafirmo semana após semana, quando confirmamos as próximas datas de estudo.

Logicamente, ao longo de um ano e seis meses a vida transcorreu e ela não se limita aos planejamentos de uma única pessoa. Ela tem seu curso próprio, o qual desconhecemos. Ao longo desse tempo, pessoas queridas se foram, novos projetos surgiram, adoecemos de condições de saúde em geral e também mentalmente. Apesar das surpresas e imprevistos, tentamos permanecer fiéis ao planejamento inicial, adaptando-o conforme necessidade maior.

Hoje, aproximando-me da data da primeira prova, entendo a criação do grupo de estudos como uma ferramenta de sucesso, talvez a mais eficiente para mim.

Procrastinação com burocracia

É estimado que entre 15-25% dos adultos tenham comportamentos crônicos de procrastinação. A minha dificuldade com burocracias, com certeza, coloca-me dentro dessa estatística. Lidar com burocracia é a minha atividade mais aversiva. O meu bicho-papão.

A aversão é tamanha que provavelmente é a atividade que eu procrastino com mais frequência e que me traz mais prejuízos.

Contei anteriormente sobre o atraso em resolver as multas de trânsito, mas os exemplos são infindos. Vão desde solicitar segunda via de boletos até providenciar documentações solicitadas por editais de concursos. Se eu puder, eu atraso para resolver e se eu não puder, também.

Das minhas experiências com procrastinação é a que está menos resolvida até o momento. Apesar de analisar os sentimentos e identificar os pensamentos relacionados, continuo deixando para depois diversas tarefas que envolvem ser resolutiva com burocracias.

Talvez, o que eu precise seja de sugestões, assim como deixei anteriormente quanto à procrastinação acadêmica e à atividade física. Por isso eu lhe peço ajuda.

Não, você não entendeu errado.

Eu estou pedindo ajuda.

Nas próximas linhas fornecerei espaço para que você, membro da Associação dos Procrastinadores, contribua com a nossa rede de ajuda mútua. Talvez a sua estratégia para resolução de atividades que envolvam burocracias seja exatamente o que me falta.

Como você lida com as burocracias do seu cotidiano?

_____

_____

_____

_____

_____

_____

Estarei atenta às marcações no Instagram (@draleticiaruthes) e curiosa para conhecer a sua estratégia bem-sucedida nessa área.

CAPÍTULO 9

O que ensina a literatura

Segundo o autor do best-seller *Sapiens – Uma breve história da humanidade*,[7] temos registros de seres vivos muito parecidos conosco habitando a Terra há cerca de 2,5 milhões de anos, mas somente há 2 milhões de anos eles passaram a explorar outros lugares mais remotos. Quer dizer, eles levaram 500 mil anos para iniciar essa jornada de exploração. Seria isso um indicativo de que a procrastinação é um fenômeno tão antigo quanto a nossa espécie?

Minha teoria, obviamente, ignora as reais explicações para tal demora na movimentação da espécie pelo planeta, porém, certamente, o

---

[7] HARARI, Yuval Noah. *Sapiens*: uma breve história da humanidade. 1. ed. São Paulo: Companhia das Letras, 2020.

comportamento de adiar o início de tarefa está intrinsecamente associado à história da humanidade. Apesar disso, o interesse pelo estudo desse comportamento é recente e conta com apenas 40 anos de literatura. A seguir, reúno as principais conclusões disponíveis sobre o tema nas plataformas de busca por textos científicos.

DEFINIÇÃO

Para a ciência, como anteriormente mencionado, procrastinação é o ato de adiar, atrasar uma atividade, especialmente quando ela demanda atenção, mesmo ciente dos riscos envolvidos nesse ato. Pode ser explicada, a depender da vertente que você opte por estudar, como um comportamento ou como um traço de personalidade.

Aqueles que defendem que a procrastinação seja um comportamento, acreditam que ela seja um ato voluntário e dinâmico, ou seja, mutável, variando conforme o estágio da vida em que a pessoa encontra-se e a tarefa s ser realizada.

Já os que preferem entendê-la como parte da personalidade defendem que a tendência da pessoa será apresentar essa resposta frente a qualquer atividade exercida, independentemente do estágio da vida em que esteja. Seria algo mais constante, portanto.

A despeito do lado escolhido, é consenso que esse fenômeno acarreta consequências negativas, pois impacta na produtividade da pessoa e em percepções negativas sobre a autoestima, propiciando o surgimento de culpa e a sensação de inadequação.

O CICLO DA CULPA

Imagine que na tentativa de livrar-se dos sentimentos negativos que emergem ao pensar em fazer uma determinada atividade — frustração, tédio, raiva, ansiedade e preocupação são alguns exemplos desses sentimentos —, você decide ceder em não fazê-la, pois, no momento presente, isso lhe traz uma sensação reconfortante.

Você também minimiza a provável consequência negativa associada ao ato: "Não é tão importante assim", "Eu vou dar conta mesmo com menos tempo para realizar".

Então, quase imediatamente, o seu senso de responsabilidade tenta relembrar você sobre a necessidade de essa tarefa ser iniciada (ou concluída) e você se esforça para ignorar esse sentimento desconfortável que começa a crescer por dentro.

É muito provável que, então, você sequer consiga desfrutar do momento presente, pois já está se sentindo culpado por, mais uma vez, ter procrastinado. E é por isso que alguns autores definem-na também como consequência de uma falha na autorregulação, no autocontrole e no manejo das emoções negativas. Afinal, é onde o ciclo se inicia.

NÃO ESTAMOS SOZINHOS

Como já exposto anteriormente, procrastinação é um fenômeno mundial e de surgimento que se confunde com o da própria humanidade. Não é uma experiência individual, por mais solitário que seja, às vezes, lidar com experiências negativas.

Aliás, a maioria dos estudos disponíveis sobre o assunto são de outros países que não o Brasil.

ATIVIDADES AVERSIVAS

Atividades aversivas são, de fato, as maiores associadas ao fenômeno da procrastinação. Isso pode ser explicado pelo fato do prazer em procrastinar ser mais evidente em relação a elas. Quanto maior o desgosto pela atividade, melhor o desfrute em não fazê-la.

A procrastinação funciona como efeito reforçador do próprio comportamento. Por isso a tendência é continuar evitando a atividade, fugindo dela.

Se você, como eu, tem aversão à burocracia, pode evitar assumir compromissos que a exigem ou até pode assumi-los, mas evita ao máximo entrar em contato com a burocracia. Da mesma forma, se você tem aversão à apresentação em público, a tendência é evitar fazê-la.

Infelizmente, tendemos a nos sentir piores depois e esse estado negativo de sentimento tende a criar reações defensivas para o seu "eu", como a evitação. Um exemplo: ao recusar-se a apresentar um trabalho para sua classe, você sente-se reconfortado, pois fica protegido de seus medos (gaguejar, suar frio, esquecer o texto, por exemplo). Seu cérebro gosta de sentir-se assim, protegido. Ele vai querer repetir esse sentimento toda vez que você for confrontado com a mesma situação ameaçadora, convidando-o a evitar a atividade. Enquanto você evita-a, você está protegido do sentimento negativo.

A partir do momento em que a atividade evitada volta a emergir no seu pensamento como uma possibilidade, ela será associada a um sentimento negativo novamente (medo intenso), fazendo-o repetir o comportamento de evitação e, consequentemente, desengajar da tarefa novamente.

Consequências da procrastinação

Perceber-se procrastinando atividades importantes está associado a aumento da percepção de ansiedade e estresse. Isso é um fato e você já deve ter percebido.

Quanto à procrastinação acadêmica especificamente, os estudos concluíram que ela está associada a pior performance do aluno, especialmente dos mais jovens. Isso reforça a teoria de que cérebros menos desenvolvidos, com menor senso de responsabilidade e menor capacidade para planejamento e tomada de decisões, seja mais suscetível à procrastinação.

Estratégias para lidar com a procrastinação

Estranho que, mesmo a procrastinação sendo um fenômeno que todos experimentam ao menos uma vez na vida, estudos sobre estratégias para lidar com ela são escassos.

A quantidade de estudos melhora quando observamos exclusivamente abordagens para a procrastinação acadêmica.

Um estudo sugeriu uma divisão das abordagens para procrastinação em ambiente educacional em três vertentes:

1. Tratamento terapêutico.
2. Prevenção terapêutica.
3. Intervenção do instrutor/professor.

As duas primeiras abordagens envolvem o trabalho direto com o procrastinador. Uma vez que você entenda melhor o seu processo de procrastinação, poderá adquirir repertório para evitar o comportamento, que será facilitado se estiver sob a tutela de um profissional terapeuta.

No entanto, percebendo que muitas queixas relacionadas à procrastinação acadêmica estavam relacionadas ao comportamento do professor, os autores desse estudo incluíram como objetivo na abordagem da procrastinação a criação de intervenções para aquele que leciona.

Vimos anteriormente que prazos longos para entrega de trabalho, por exemplo, estão associados a maior chance de atraso na entrega, por antecipação da dificuldade na execução do trabalho. Mas outras características do professor, como ser muito exigente ou, o extremo, ser muito permissivo e desorganizado, ter poucos recursos de didática e ser inflexível, também foram reportadas pelos alunos como facilitadores de procrastinação. Dessa forma, faz sentido que professores também sejam treinados para fornecerem possibilidades mais dinâmicas e assertivas de avaliação de conteúdo.

Quanto a estratégias de estudo, até o momento as pesquisas defendem o uso de pausas sistemáticas curtas entre momentos de estudo, como a que eu já comentei no capítulo anterior.

Quanto às abordagens de psicoterapia, estratégias desenvolvidas pelas abordagens comportamentais, como a Terapia Cognitivo-Comportamental (TCC) e a Terapia Comportamental Dialética (DBT), parecem ser mais eficientes do que técnicas de aconselhamento na redução da procrastinação acadêmica.

Estudos menos robustos mostram a eficácia de abordagens como a Terapia de Aceitação e Compromisso (ACT), também já abordada anteriormente.

A abordagem da procrastinação em ambiente de psicoterapia tende a ser resolutiva, pois atua justamente sobre o início do ciclo procrastinação-culpa, que são as emoções negativas.

Com o auxílio de um profissional capacitado você poderá desenvolver consciência das suas emoções, aprender a identificar e a nomear corretamente as emoções (acredite, você não conhece todas), refletir sobre a causa delas, ressignificá-las, aceitá-las, desenvolver resiliência e autocompaixão e, acima de tudo, aprender a dar apoio emocional a si mesmo em situações angustiantes.

Menções, essas mais discretas, também são feitas para estratégias de implementação de comportamentos preparatórios e organização de rotina. Aparentemente, procrastinadores tendem a ter mais dificuldade em organizar estratégias eficazes de planejamento e monitorização de atividades quando comparados às pessoas que não sofrem com esse fenômeno. Ao falharem nesse planejamento inicial, a autoconfiança na capacidade executiva — que produz a motivação — fica prejudicada.

Por fim, mas não menos importante, faço menção aos transtornos psiquiátricos que podem cursar com procrastinação crônica, como a depressão, Transtornos de Ansiedade, Transtorno de Déficit de Atenção e Hiperatividade, bem como traços de perfeccionismo, que podem estar presentes no Transtorno Obsessivo-Compulsivo e em alguns transtornos de personalidade.

Caso você já tenha sido diagnosticado com algum desses transtornos ou suspeite de ter um, a melhor recomendação que eu posso lhe dar é buscar avaliação de um profissional com formação em psiquiatria ou um psicólogo clínico. Nesses casos, é preciso entender se a procrastinação opera como um sintoma do transtorno ou como um fenômeno independente dele. Naturalmente, é uma diferenciação que exige avaliação especializada. Até mesmo porque as orientações são diferentes, já que cada transtorno, caracteristicamente, procrastina de um jeito diferente.

Capítulo 10

Autocompaixão

Antes mesmo de iniciar a busca por mais artigos científicos que trouxessem embasamento para o meu texto, já havia definido que o último capítulo seria sobre autocompaixão.

Para a minha surpresa, um estudo selecionado para leitura demonstrou que a procrastinação está associada a níveis mais baixos de autocompaixão nas pessoas avaliadas. Instintivamente eu já sabia, pois, na contramão da autocobrança excessiva e do perfeccionismo mal-adaptativo, está a autocompaixão.

A autocompaixão é um sentimento puramente benévolo. Com ela, a pessoa permite-se ser tratada por si com gentileza.

É esse sentimento que nos permite acolher nossos sentimentos negativos sem julgamento. Você se reconhece como ser humano e, como tal, passível de sentir o que é bom e também o que é ruim, bem como fazer o que é bom e o que é ruim. Às vezes, o ruim é o melhor que você consegue fazer em determinada situação. Saber acolher isso é fundamental.

Diferentemente da autocompaixão, mas muitas vezes confundida com ela, é a autoindulgência, o excesso de tolerância consigo próprio. Permitir-se tudo, tolerar-se em tudo, significa não ter limites para si mesmo. Pacientes dependentes químicos constantemente vivem esse conflito.

Costumo explicar que a recaída faz parte do transtorno por uso de substâncias, afinal ela vai acontecer ao menos uma vez ao longo do tratamento. E eu falo isso sem cerimônia, porque o mais importante não é o fato em si (a recaída), mas o que eles fazem a partir dela.

Uma vez que eles tenham decidido entrar em abstinência e apresentam um lapso – voltam a consumir a substância –, eles estão em frente à encruzilhada da autocompaixão com a autoindulgência.

O autoindulgente vai dizer: "Só se vive uma vez!", "Olha como a minha vida é difícil. Eu preciso desses momentos de prazer!", "Só mais hoje. Amanhã eu paro!". Ele permite-se vivenciar a experiência porque sente que é seu merecimento.

Aquele que trabalha a autocompaixão dirá: "Recaí e reconheço como é difícil lidar com esse transtorno. Mas olha o tanto que eu já conquistei até agora. Posso conseguir de novo".

Você procrastinou hoje?

Tudo bem, aconteceu. Agora entenda o porquê. Identifique a emoção e acolha-a. Então diga para você mesmo que está comprometido a lidar com ela a partir de hoje, sozinho ou com ajuda.

Você vai conseguir.

Nós vamos conseguir!

Reflexões finais

Dezessete dias se passaram entre eu ter decidido escrever este pequeno manual e terminá-lo - ao menos a primeira versão dele.

A ambição inicial deste projeto era recolher o que havia sobre o assunto procrastinação na literatura científica e transformar esse aprendizado em um texto para uma postagem no Instagram. Uma postagem, no entanto, não comportaria todo o material que eu selecionei. Então cogitei a criação de um e-book com as informações em tópicos. Achei mais didático ilustrar as descrições com exemplos do meu cotidiano e, então, surgiu este livro escrito em prosa.

Definitivamente, definir um dia específico na semana para essa atividade — e respeitar essa autoimposição — foi fundamental para que eu não atravessasse outras atividades, como o desenvolvimento do meu projeto de mestrado, com a empolgação em terminar o livro. Afinal, o interesse sobre o assunto procrastinação surgiu justamente devido ao meu receio em cronificar a procrastinação com o projeto.

Durante o mesmo período de dezessete dias, também terminei de escrever a primeira versão do meu projeto de mestrado.

Enquanto organizava as referências bibliográficas dele, percebi que eu terminava meu projeto no mesmo período da minha vida em que trabalhava em meu consultório particular, estudava para a prova de título e escrevia um livro sobre procrastinação. Quer dizer, com um pouco de organização da rotina, moderado entendimento sobre procrastinação e muita reflexão sobre o meu comportamento, eu concluí o meu projeto — antes tarde do que mais tarde.

Comunidade

Toda Associação precisa de um local para reunir-se. A nossa não seria diferente.

Você, que adquiriu este livro, está convidado a juntar-se a mim em nosso canal no Telegram, *Associação dos Procrastinadores*. Por lá compartilharei toda novidade que surgir no meio científico sobre o tema, de forma simplificada, de modo que você consiga compreender e aplicar no seu dia a dia. Além disso, poderá compartilhar seus desafios cotidianos, pedir ajuda e, por que não, aprender com os desafios dos demais associados.

Está interessado? Pois, então, envie-me uma mensagem pelo Instagram (@draleticiaruthes) solicitando integrar a comunidade que eu lhe responderei com o link de direcionamento!

Referências

AMARNATH, A.; OZMEN, S.; STRUIJS, S. Y.; DE WIT, L.; CUIJPERS, P. Effectiveness of a guided internet-based intervention for procrastination among university students – A randomized controlled trial study protocol. *Internet Interventions*, Elsevier B.V., Netherlands, v. 32, n. 100612, p. 1-8, 2023.

ARIELY, D.; WERTENBROCH, K. Procrastination, *deadlines, and performance*: self-control by precommitment. Psychological Science, Association for Psychological Science, Washington, v. 13, n. 3, p. 219-224, 2002.

BARZ, M. *et al.* Self-efficacy, planning, and preparatory behaviours as joint predictors of physical activity: a conditional process analysis. *Psychology and Health*, London, v. 31, n. 1, p. 65-78, 2016.

BECK, J. S. *Terapia cognitivo-comportamental*: teoria e prática. 2. ed. Porto Alegre: Artmed, 2013.

BIWER, F.; WIRADHANY, W.; OUDE EGBRINK, M. G. A.; DE BRUIN, A. B. H. Understanding effort regulation: comparing 'Pomodoro' breaks and self-regulated breaks. *British Journal of Educational Psychology*, London, v. 93, n. S2, p. 353-367, 2023.

BLUNT, A. K.; PYCHYL, T. A. Task aversiveness and procrastination: a multi-dimensional approach to task aversiveness across stages of personal projects. *Elsevier* B.V., Netherlands, v. 28, n. 1, p. 153-167, 2000.

DE MELO, T. G.; MENDONÇA, H. Academic procrastination: relationships with support from the environment and self-leadership. *Paideia*, São Paulo, v. 30, p. e3038, 2020.

FERRARI, J. R.; O'CALLAGHAN, J.; NEWBEGIN, I. Prevalence of procrastination in the United States, United Kingdom, and Australia: Arousal and avoidance delays among adults. *North American Journal of Psychology*, Valdosta, v. 7, p. 1-6, 2005.

GRUND, A.; FRIES, S. Understanding procrastination: A motivational approach. *Personality and Individual Differences*, Personality and Individual Differences, Elsevier B.V., Netherlands, v. 121, p. 120-130, 2018.

GUSTAVSON, D. E.; MIYAKE, A.; HEWITT, J. K.; FRIEDMAN, N. P. Genetic relations among procrastination, impulsivity, and goal-management ability: implications for the evolutionary origin of procrastination. *Psychological Science*, Association for Psychological Science, Washington, v. 25, n. 6, p. 1.178-1188, 2014.

HARARI, Yuval Noah. *Sapiens*: uma breve história da humanidade. 1. ed. São Paulo: Companhia das Letras, 2020.

KARINA, R.; SAMPAIO, N.; CRISTINA, I.; BARIANI, D. Procrastinação acadêmica: um estudo exploratório. *Estudos Interdisciplinares em Psicologia* [online], vol. 2, n. 2, p. 242-262., 2011.

KIM, K. R.; SEO, E. H. The relationship between procrastination and academic performance: a meta-analysis. *Personality and Individual Differences*, Elsevier B.V., Netherlands, v. 82, p. 26-33, 2015.

LINEHAN, M. M. *Treinamento de habilidades em DBT*: manual de terapia comportamental dialética para o terapeuta. 2. ed. Porto Alegre: Artmed, 2017.

NUÑEZ PEREIRA, C.; R. VALCÁRCEL, R. *Emocionário*. Rio de Janeiro: Sextante, 2018.

ROCHA POMBO. *Dicionário de sinônimos da língua portuguesa*. Apresentação de Evanildo Bechara. 2. ed. Rio de Janeiro: Academia Brasileira de Letras, 2011.

SCHUENEMANN, L.; SCHERENBERG, V.; VON SALISCH, M.; ECKERT, M. I'll worry about it tomorrow – Fostering Emotion regulation skills to overcome procrastination. *Frontiers in Psychology*, Lausanne, v. 13, n. 780675, 2022.

SIROIS, F.; PYCHYL, T. Procrastination and the priority of short-term mood regulation: consequences for future self. *Social and Personality Psychology Compass*, New Jersey, v. 7, n. 2, p. 115-127, 2013.

STEEL, P. The nature of procrastination: a meta-analytic and theoretical review of quintessential self-regulatory failure. *Psychological Bulletin*, Washington, v. 133, n. 1, p. 65-94, jan. 2007.

SVARTDAL, F.; LØKKE, J. A. The ABC of academic procrastination: functional analysis of a detrimental habit. *Frontiers in Psychology*, Lausanne, v. 13, Sec. Personality and Social Psychology, nov. 2022.

SWERDLOW, B. A.; PEARLSTEIN, J. G.; SANDEL, D. B.; MAUSS, I. B.; JOHNSON, S. L. Maladaptive behavior and affect regulation: a functionalist perspective. *Emotion*, Washington, D.C., v. 20, n. 1, p. 75-79, fev. 2020.

TAHIR, M.; YASMIN, R.; BUTT, M. W. U. *et al*. Exploring the level of academic procrastination and possible coping strategies among medical students. *Journal of the Pakistan Medical Association*, Karachi, v. 72, n. 4, p. 629-633, 2022.

ZACKS, S.; HEN, M. Academic interventions for academic procrastination: A review of the literature. *Journal of Prevention and Intervention in the Community*, Oxfordshire, v. 46, n. 2, p. 117-130, 2018.

ZHOU, Y.; WANG, J. Internet-based self-help intervention for procrastination: randomized control group trial protocol. *Trials*, ioMed Central, London, v. 24, n. 82, 2023.